Cyfres Rwdlan
16. 'SBECTOR SBECTOL

I TOMOS A BECA
(plant y Rwdlan wreiddiol)

Argraffiad cyntaf: 2012

Dymuna'r cyhoeddwyr gydnabod cymorth ariannol Cyngor Llyfrau Cymru

Lluniau: Angharad Tomos ac Elwyn Ioan
Gwaith lliw a dylunio: Richard Ceri Jones
Golygydd: Meinir Wyn Edwards

Rhif llyfr rhyngwladol: 978 1 84771 414 5

Cyhoeddwyd ac argraffwyd yng Nghymru
gan Y Lolfa Cyf., Talybont, Ceredigion, SY24 5HE
e-bost: ylolfa@ylolfa.com
y we: www@ylolfa.com
ffôn: 01970 832304
ffacs: 01970 832782

'Sbector Sbectol

Angharad Tomos

"Llanast Llanrwst!" meddai
Rala Rwdins.
Roedd hi wedi cael hen ddigon
ar glirio ystafell Rwdlan.
Ymhen tipyn, casglodd bob
peth o'r ystafell a'u rhoi gyda'i
gilydd y tu allan i'r ogof.
"Dylai hyn fod yn wers iddi,"
meddai Rala Rwdins yn flin.

Gwaith diflas iawn yw clirio, ac
ni wyddai Rwdlan ble i ddechrau
yng nghanol y llanast.
Roedd ganddi gymaint o bethau!

Gwelodd Rwdlan y Llipryn
Llwyd yn cerdded heibio.
Doedd gan y Llipryn Llwyd
ddim byd, ar wahân i'w hances.
Meddyliodd Rwdlan y gallai
Llipryn gael ambell un o'i
phethau hi.

"Llipryn Llwyd, hoffet ti gael un o'r rhain?" holodd Rwdlan yn garedig.

Edrychodd y Llipryn yn syn ar y pentwr blêr.

"Byddwn wrth fy modd yn cael cadair," meddai'n swil.

Cynigiodd Rwdlan ei helpu i
gario'r gadair i lan Llyn Llymru.
Gwelodd y Llipryn ffon hud, a
chafodd honno gan Rwdlan
hefyd. Roedd wedi gwirioni'n
lân.

13

Draw yn Nhy'n Twll, roedd y Dewin Doeth wedi cael digon ar annibendod y Dewin Dwl. Rhoddodd holl gynnwys ystafell y dewin bach y tu allan i Dy'n Twll. Dyna biti nad oedd ganddo swyn i wneud i'r cwbl ddiflannu!

Ar ôl clirio ystafell y Dewin
Dwl, sylwodd y Dewin Doeth
nad oedd llawer o botiau mêl
ar ôl yn y pantri.
"Wyt ti'n gwybod i ble mae'r
mêl i gyd wedi mynd, Dewin
Dwl?" gofynnodd.

Diflannodd y Dewin Dwl yn sydyn, a daeth ditectif o rywle. "Helô, Dewin Doeth. 'Sbector Sbectol ydw i. Gallaf i ddatrys POB dirgelwch!"

Gwaith cyntaf 'Sbector Sbectol
oedd gosod posteri o gwmpas
y goedwig.
Pwy oedd wedi dwyn y potiau
mêl, tybed?

Draw yn Nhu Hwnt, roedd Rala Rwdins a Ceridwen yn mwynhau paned ddeg o'r gloch. "Glywsoch chi fod lleidr o gwmpas y lle, Ceridwen?" "Gwrachod pawb!" meddai Ceridwen. "Does dim byd yn ddiogel y dyddiau hyn. Rhagor o de, Rala Rwdins?"

"Taclau Tregarth! Mae rhywun wedi dwyn y tebot!" meddai Ceridwen, wedi dychryn braidd. "Gwell i ni gadw llygad ar y jwg lefrith, rhag ofn," meddai Rala Rwdins yn bryderus.

Wedi bod o gwmpas y goedwig, roedd Rwdlan a'r Llipryn Llwyd wedi cael llond trol o bethau i Llipryn. Ei hoff beth oedd tedi y daeth o hyd iddo y tu allan i Dy'n Twll.

"Tebot, tedi a throl,
A gawsom yn hynod ddi-lol,"
meddai Rwdlan.
Allai Llipryn ddim credu ei lwc.
Roedd ganddo gadair, ffon hud,
tedi a thebot. Dim ond tŷ oedd
angen arno a byddai ei fyd yn
gyflawn!

"Dewin Dwl!" gwaeddodd Rala Rwdins wrth weld y dewin bach yn stelcian heibio.

"Nid dewin ydw i, ond 'Sbector Sbectol, ditectif gorau'r wlad!" atebodd. "Alla i eich helpu?"

"Mae tebot Ceridwen ar goll," meddai Rala Rwdins.

"Tebot ar goll? Mae hyn yn ddifrifol," meddai 'Sbector Sbectol. "Rhaid fod lleidr haerllug iawn â'i draed yn rhydd yn rhywle."

"Wel, well i chi ei ddal yn reit sydyn," meddai Ceridwen, "neu bydd y te'n oer!"

33

Pan aeth y Dewin Dwl adre amser cinio, sylwodd fod ei eiddo i gyd mewn pentwr o flaen y tŷ – popeth heblaw am Tedi Melyn. Chwiliodd yn ddyfal amdano, ond yn ofer. Hwn oedd tegan gorau'r dewin bach. Ni allai gysgu'n iawn heb Tedi Melyn.

"Ydych chi wedi gweld Tedi Melyn?" holodd y Dewin Dwl. "Naddo wir," atebodd y Dewin Doeth. "Efallai fod y lleidr mêl yn dwyn tedis melyn hefyd." Doedd o ddim yn swnio fel petai'n poeni rhyw lawer.

Roedd 'Sbector Sbectol yn fwy
penderfynol nag erioed i ddod o
hyd i'r lleidr peryglus. Doedd
dwyn tebot a mêl ddim yn
ddiwedd y byd, ond roedd dwyn
TEDI yn fater gwahanol!

Chwiliodd ym mhob twll a chornel, a gwelodd olion traed. A oedd gan 'Sbector Sbectol unrhyw obaith o ddal y lleidr? Dilynodd yr olion i ben draw'r goedwig a cherddodd tuag at y gors.

Ar ei ffordd adre o Lyn Llymru,
sylwodd Rwdlan ar y poster ar
y goeden. Darllenodd y geiriau'n
ofalus.
Gwyddai hi lle roedd y tebot.
Gwyddai hi lle roedd Tedi Melyn!
Efallai fod 'Sbector Sbectol
angen ei help.

43

Arweiniodd Rwdlan 'Sbector Sbectol at Lyn Llymru. Yno, gwelodd y ditectif olygfa ddedwydd iawn. Doedd ganddo mo'r galon i ddeffro Llipryn – roedd golwg mor fodlon arno yn ei gwsg. Ond ni fyddai byth yn gallu cysgu heb Tedi Melyn.

Doedd ond un peth amdani –
rhannu Tedi Melyn.
Câi fynd i Dy'n Twll yn y bore
a châi Ceridwen ei thebot
hithau yn ôl.
Yr unig beth nad oedd gobaith
o'i gael yn ôl oedd y mêl.
Roedd hwnnw'n ddiogel ym
mol 'Sbector Sbectol!

Cyfres Rwdlan!

Y gyfres fwyaf llwyddiannus erioed
i blant bach yn Gymraeg!

1. Rala Rwdins
2. Ceridwen
3. Diffodd yr Haul
4. Y Dewin Dwl
5. Y Llipryn Llwyd
6. Mali Meipen
7. Diwrnod Golchi
8. Strempan

9. Yn Ddistaw Bach
10. Jam Poeth
11. Corwynt
12. Penbwl Hapus
13. Cosyn
14. Dan y Dail
15. Barti Ddwl

£2.95 yr un

Hefyd ar gael:

Llyfr Stomp
Llyfr Llanast
Llyfr Smonach
Llyfr canu Ffaldi-Rwla-la
Sioe gerdd Nadolig yn Rwla...
Ralalala (Llyfr Canu a Chasét)
Posteri
Calendr

Gêmau bwrdd Lot-o-Rwdlan a Lot-o-Sŵn
Cyfres ddarllen Darllen mewn Dim
Pecyn Athrawon 1 a 2
CD Straeon Darllen mewn Dim

Am restr gyflawn o'n holl gyhoeddiadau,
anfonwch yn awr am gopi RHAD AC AM DDIM
o'n catalog lliw llawn!